Die bunte

Flaschenpost

Eine Geschichte
von Lore Leher
mit Bildern
von Hetty Krist

Herder Freiburg–Basel–Wien

Jens' Vater war am Großen Belt
als Leuchtturmwärter angestellt
auf einer Insel, winzig klein,
drum war der Jens dort sehr allein,
und oft hat er bei sich gemeint:
Ach, hätte ich doch einen Freund!
Hier gibt's nur Möwen, Fische, Quallen
Da ist ihm etwas eingefallen.

Er nahm Papier und einen Stift
und schrieb
   mit seiner schönsten Schrift:
,,Wer will mein Freund sein?"
            -Viele Grüße Jens

Hat dann das Blatt
herumgedreht
und sich gemalt,
wie ihr hier seht:

Er faltete den Brief ganz schmal
und steckte ihn – nun ratet mal! –
in einen Umschlag?

In die Tasche?

O nein: in eine leere Flasche!

Die Flasche schwamm
und schwamm
und schwamm

Dann korkte er in aller Ruh
die alte Flasche wieder zu
und schleuderte sie weit ins Meer
und blickte lange hinterher.

...bis sie nach Madagaskar kam.

Da hat mit ihr, mal sanft, mal wild,
ein lustiger Delphin gespielt,
der schubste sie zuletzt an Land,
g'rad, wo der kleine Zafy stand.
Der zog den Korken raus und rief:
Ein Brief, o bénono, ein Brief!"
Das Lesen fiel ihm zwar noch schwer,
jedoch Jens' Bild gefiel ihm sehr.

Er malte sich gleich selbst
daneben.

Es war sein erster Brief im Leben.

Die Flasche schwamm
und schwamm
und schwamm

Dann korkte er in aller Ruh
die alte Flasche wieder zu
und schleuderte sie weit ins Meer
und blickte lange hinterher.

bis sie zur Insel Ceylon kam,

wo sie ein grauer Elefant
emporhob aus dem gelben Sand.

Der kleine Kim, der auf ihm saß,
rief ganz erstaunt: „Was ist denn das?

Ein Brief an mich? Wie wunderbar!
Mit einem schönen Bild sogar!

Zwei Freunde, – da bin ich der dritte!"
und zeichnete sich in die Mitte.

Die Flasche schwamm
und schwamm
und schwamm

Dann korkte er in aller Ruh
die alte Flasche wieder zu
und schleuderte sie weit ins Meer
und blickte lange hinterher.

bis sie zum Golf von Tongking kam,

wo der Chinesenbub Nai-Ming
in seinem Fischernetz sie fing.

Kein Fang hat ihn je so gefreut!
Er malte voller Dankbarkeit

sein eignes Abbild zu den dreien   und zeigte es
                                     voll Stolz
                                          den Haien.

Die Flasche schwamm
und schwamm
und schwamm

Die korkte er in aller Ruh,
so fest er konnte, wieder zu
und schleuderte sie weit ins Meer
und blickte lange hinterher.

bis sie nach Acapulco kam.

Dort trudelte sie an den Strand,
wo sie der Hirte Pepe fand.
Das war ein kleiner Mexikaner,
dazu ein richtiger Indianer.

Der ist sehr aufgeregt gewesen,
er konnte nämlich noch nicht lesen
und leider auch nicht richtig schreiben,
darum ließ er das lieber bleiben.

Doch malen konnte er sehr schön,
das könnt ihr ja hier selber sehn.

Die Flasche schwamm
neun Wochen lang,

Dann korkte er in aller Ruh
die alte Flasche wieder zu
und schleuderte sie weit ins Meer
und blickte lange hinterher.

bis sie
ein alter
Wal
verschlang.

er hat sie dann in seinem Magen
ach Grönland durch das Meer getragen.
och drückte ihn der harte Schmaus,
rum spuckte er ihn wieder aus.

Navsak, ein kleiner Eskimo,
der fand das Ding und rief: „Hallo!
Seht mal die Flasche! Sicherlich
ist da ein Brief darin für mich."

Und damit hatte er ganz recht.
Auch, was er malte
war nicht schlecht.

Die Flasche schwamm
      und schwamm
        und schwamm.

Dann korkte er in aller Ruh
die alte Flasche wieder zu
und schleuderte sie weit ins Meer
und blickte lange hinterher.

Nun ratet mal, wohin sie kam?!
Nach ihrer Reise um die Welt

zurück   zu Jens am Großen Belt.

Der zog den Korken 'raus und rief:
,,Da ist er ja, mein alter Brief!
Nun weiß ich, ich bin nicht allein.
Ich habe Freunde groß und klein
und gelb und braun
                    und schwarz und weiß

rings auf dem weiten Erdenkreis.
Bald bin ich groß. Wir werden seh'n,
vielleicht bin ich bald Kapitän.
Dann fahre ich nach Afrika,
nach Indien und Amerika,
nach China, auch nach Grönland ma
denn Freunde hab' ich überall!''

11. Auflage 1991

Alle Rechte vorbehalten – Printed in Germany
© Verlag Herder Freiburg im Breisgau 1968
Herstellung: Freiburger Graphische Betriebe 1991
ISBN 3-451-14664-9